Lila
et la
corneille

GABRIELLE
GRIMARD

SCHOLASTIC

Lila vient de déménager dans une nouvelle ville.
Tous les jours, elle sort dehors, s'installe sur le trottoir
et gratte le sol avec un petit bout de bois. Elle ne connaît
personne ici.

Lila s'ennuie
beaucoup.

Ce matin, elle se lève tôt, s'habille et quitte la maison à la hâte. Le cœur léger comme une plume, elle s'imagine déjà entourée de nouveaux amis.

Le vent dans les cheveux, le sourire aux lèvres, on croirait qu'elle vole sur le chemin de l'école.

Son professeur, M. Nicolas,
la présente à ses camarades
de classe.

Elle regarde tous ces visages
qui lui sourient et trépigne
déjà d'impatience à l'idée de
faire connaissance.

Enfin, à la récréation, tous
les enfants sortent pour jouer.

Au moment où Lila s'approche de l'un d'entre eux, une voix s'élève au-dessus des autres. Nathan, le chef de bande, s'exclame :

— *La corneille!*

La corneille!

La nouvelle a les cheveux noirs comme une corneille!

Les rires fusent de toutes parts.

Lila reste seule avec son ballon.

Sur le chemin du retour, Lila a le cœur lourd comme une grosse roche. Une corneille perchée sur la branche d'un vieux chêne semble vouloir lui dire quelque chose.

Elle croasse et graille en la regardant passer, mais rien n'y fait… L'enfant ne se retourne pas.

Le jour suivant, Lila arrive à l'école avec une énorme tuque sur la tête. On ne voit plus ses cheveux. Pourtant, dès que Nathan l'aperçoit, il s'écrie :

— La corneille!
La corneille!
la nouvelle a la peau foncée
comme une corneille!

Tous les autres ricanent. Le cœur de la fillette devient lourd comme deux grosses roches…

Alors qu'elle rentre
à la maison, la corneille
craille et tournoie
au-dessus de sa tête.

Lila gronde de tout son être, le poing levé vers le ciel :
— RRRRRAAAAAWWWWW! Va-t'en! Fiche-moi la paix!
Mais l'oiseau virevolte et criaille de plus belle.

Le troisième jour, Lila se rend
à l'école vêtue de sa tuque et d'un
col roulé qui lui cache le visage.
Nathan la dévisage quelques
secondes. Soudain, il hurle :

— *La corneille!*
La corneille!

La nouvelle a les yeux noirs
comme une corneille!

Sous le rire collectif, le cœur de Lila devient lourd comme trois
grosses roches.

À la sortie des classes,
Lila est furieuse. Avec rage,
elle donne des coups de pied
dans tout ce qu'elle trouve : dans
les feuilles mortes, dans les
branches et dans les cailloux
par terre.

Lorsque la corneille s'approche
à nouveau, la petite fille lui jette des
pierres sans toutefois l'atteindre.

Maintenant, chaque jour d'école, Lila se cache sous sa tuque, son col roulé et des lunettes fumées qu'elle a dénichées à la maison.

Les semaines passent. La grande fête d'automne approche. Tous les élèves parlent avec entrain du costume qu'ils porteront à cette occasion.

Tous, sauf Lila qui rêve d'avoir un costume invisible pour disparaître à tout jamais.

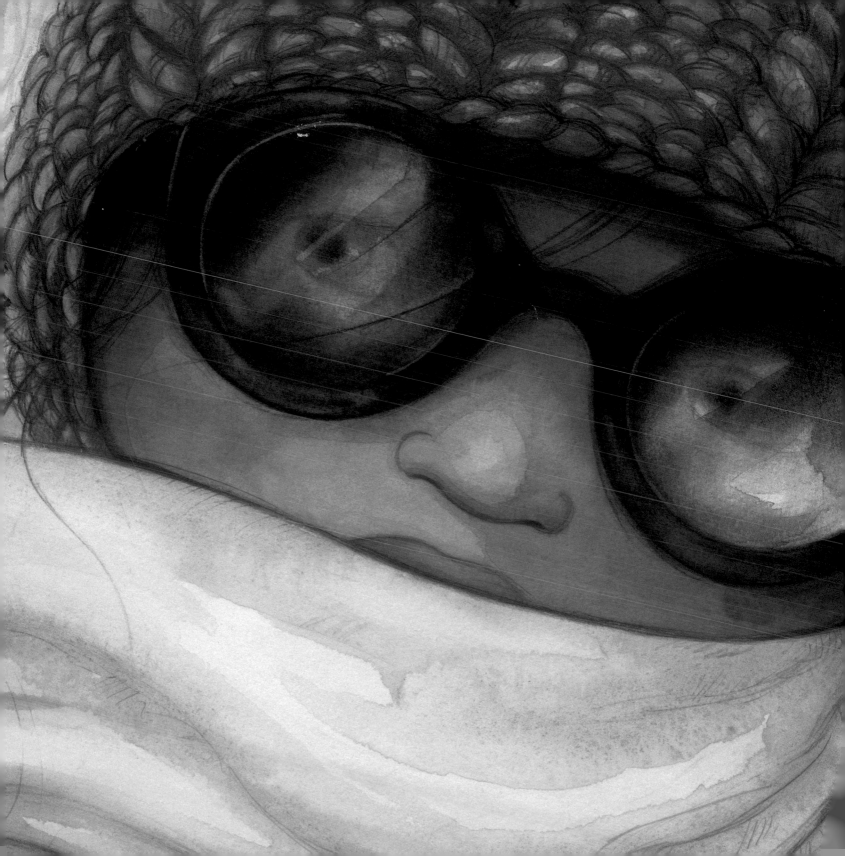

Lila a pris l'habitude de fuir rapidement l'école, dès la fin des classes. Elle ne supporte plus rien ni personne.

La veille de la grande fête,
en courant plus vite que jamais,
elle trébuche et tombe. Son cœur,
lourd comme une montagne
de roches, s'écroule alors…

Lila a pris l'habitude de fuir rapidement
l'école, dès la fin des classes. Elle ne supporte
plus rien ni personne.

La corneille se pose
près d'elle.

Pour la première fois, entre deux sanglots, Lila prend le temps
de l'observer. Elle est surprise de constater la grande beauté de son
manteau noir aux reflets pourprés.

Dans les yeux de l'oiseau qui la fixe, elle voit une grande douceur.
Dans le cœur de la fillette s'installe l'étrange sentiment de le
connaître déjà.

La corneille s'approche de Lila et lui babille un doux secret à l'oreille. La petite fille sent son cœur s'apaiser. Elle se relève puis, en sautillant d'un pied sur l'autre, elle s'enfonce dans les bois. Elle suit l'oiseau qui voltige devant elle.

L'oiseau s'arrête dans une clairière au cœur de la forêt. À la cime des arbres, des centaines de corneilles déploient leurs grandes ailes…

Puis elles s'envolent en tournoyant au-dessus de la fillette frissonnante et la laissent là, émerveillée, sous une averse de plumes noires.

Une idée lumineuse jaillit dans la tête
de la petite fille. Elle ramasse une montagne
de plumes, court à la maison et s'enferme
dans sa chambre.

Lorsque l'aube se lève, Lila est enfin
prête pour la grande fête. Une ribambelle
de petites créatures colorées se dirigent
vers l'école. Dans la classe, Lila fait son
entrée, sombre et majestueuse.

Elle est magnifique!

— *La corneille!*

La corneille!

Lila a le plus beau costume du mooonnnnde!

s'extasient les élèves.

Seul Nathan reste silencieux, bouche
bée et ébloui.

À cet instant, le cœur de la fillette
redevient aussi léger qu'une plume.

Lila est toujours surnommée La corneille.

Mais dans
la classe de
M. Nicolas,
quelque chose
a changé…

À Gilles Tibo, mon gentil mentor,

à Colleen qui a cru en mes talents d'auteure,

à Paula, à Ève et aux corneilles de Yellowknife.

Catalogage avant publication de Bibliothèque et Archives Canada

Grimard, Gabrielle, 1975-

[Lila and the crow. Français]

Lila et la corneille / Gabrielle Grimard ; texte français de Gabrielle Grimard.

Traduction de: Lila and the crow.

ISBN 978-1-4431-5971-5 (couverture souple)

I. Titre. II. Titre: Lila and the crow. Français.

PS8613.R625L5514 2017   jC813'.6   C2017-901792-6

Édition publiée par les Éditions Scholastic, 604, rue King Ouest, Toronto (Ontario) M5V 1E1.

5 4 3 2 1   Imprimé au Canada 119   17 18 19 20 21